Catherine Quévremont

Lasagnes

Photographies de Hiroko Mori
Stylisme de Sandra Mahut

• MARABOUT •

sommaire

astuces

Sauce tomate

Pour 50 cl de sauce
1 kg de tomates
(grosses rondes, olivettes, roma)
1 oignon
2 gousses d'ail
1 brin de romarin
1 brin de thym
1/2 bouquet de basilic
3 c. à s. d'huile d'olive
1 morceau de sucre
1 pincée de sel
3 tours de moulin à poivre

Lavez les tomates, concassez-les grossièrement. Épluchez l'ail et l'oignon, émincez-les. Dans une sauteuse, faites chauffer l'huile, mettez-y l'ail, l'oignon et les morceaux de tomates. Faites revenir, ajoutez le sucre, le thym et le romarin. Salez, poivrez. Laissez cuire 30 minutes, à petit feu, à découvert. Lavez le basilic. Après cuisson, versez la sauce dans le bol du mixeur, ajoutez les feuilles de basilic et mixez finement. La sauce tomate est prête. Si vous souhaitez la conserver quelques jours au réfrigérateur, versez-la dans un bocal et couvrez-la d'un filet d'huile d'olive.

Sauce béchamel

Pour 50 cl de sauce
75 g de beurre
50 cl de lait
1 c. à s. bombée de farine blanche
noix de muscade râpée
sel, poivre

Faites fondre le beurre dans une casserole à fond épais. Ôtez la casserole du feu, versez la farine, tournez vigoureusement pour qu'elle soit absorbée et pour éviter que des grumeaux ne se forment pas. Toujours hors du feu, car la casserole est suffisamment chaude pour commencer la cuisson de la sauce béchamel, versez un peu de lait, tournez, versez du lait à nouveau pour délayer peu à peu la farine et le beurre. Lorsque la sauce commence à devenir homogène, remettez la casserole sur le feu, à feu très doux, versez le lait restant, continuez de tourner la béchamel tout en cuisant jusqu'à épaississement. Salez, poivrez puis saupoudrez de noix de muscade.

L'eau de cuisson

Vous pouvez modifier le goût de la lasagne en aromatisant l'eau de cuisson. La cuisson de base se compose d'eau bouillante salée (2 cuillerées à café de gros sel pour une grande casserole), additionnée de 2 cuillerées à soupe d'huile d'olive pour éviter que les feuilles ne collent entre elles durant la cuisson.

Si vous souhaitez obtenir un goût citronné, ajoutez le jus de 2 à 3 citrons, ou l'équivalent de Pulco, pour des recettes à base de poisson ou de légumes grillés.

Un goût d'orange convient pour les recettes de crustacés ou de poulet. Ajoutez le jus de 2 oranges ou l'équivalent en Pulco orange.

Pour les lasagnes sucrées-salées à l'orientale, à base d'agneau, aromatisez l'eau de cuisson de 1 cuillerée à soupe d'eau de fleur d'oranger.

Lasagnes sèches
ou lasagnes fraîches ?

Vous trouverez d'excellentes pâtes
sèches ou fraîches dans le commerce.
La lasagne fraîche sera plus moelleuse
et aura davantage le goût de pâte
« maison ». Le temps de cuisson est
indiqué sur le paquet. Le plus facile est
d'utiliser les lasagnes « sans précuisson ».
Disposez-les directement dans le plat
en alternant avec les couches de farce.
Pour les lasagnes sans précuisson, pour
un meilleur résultat, veillez à ce que
la sauce qui accompagne le plat soit
assez liquide, les feuilles de pâte seront
plus moelleuses.

Les feuilles de lasagnes avec précuisson
demandent un peu plus de manipulation
mais le résultat est encore plus onctueux.
Faites-les cuire en suivant les indications
figurant sur l'emballage puis rafraîchissez-
les sous un filet ou dans une cuvette d'eau
froide pour arrêter la cuisson. Épongez
ensuite les feuilles de lasagnes sur
du papier absorbant et continuez la mise
en place du plat avec la farce choisie.

Les pâtes « maison » sont plus élastiques,
souvent plus épaisses. Elles demandent
quelques minutes de cuisson de plus.

La pâte à lasagnes

Pour 6 personnes
300 g de farine type 45
3 œufs
un peu d'eau

Versez la farine sur le plan de travail.
Formez un puits au centre puis cassez
les œufs. Travaillez à la fourchette ou
avec des gants car, au début, la pâte colle
aux doigts. Ramenez peu à peu la farine,
de l'extérieur sur les œufs. Formez
une boule. Si elle est trop sèche,
humectez la paume des mains ou
aspergez la préparation d'un peu d'eau.
Travaillez la pâte jusqu'à ce qu'elle
devienne élastique. Si vous avez du mal
à la travailler, partagez-la en deux.
Laissez reposer la pâte, à couvert,
à température ambiante, pendant 1 heure.
Farinez légèrement le plan de travail,
étalez la pâte au rouleau à pâtisserie
et coupez-la aux dimensions souhaitées.
Vous pouvez aussi utiliser une machine
à laminer la pâte (disponible dans
le commerce).
La pâte peut être parfumée ou colorée :
en rouge : avec de la pulpe (peu humide)
de tomate ;
en vert : avec du hachis d'épinards
(desséché) ;
en noir : avec de l'encre de seiche ;
au citron : avec du zeste de citron râpé.

Quels fromages utiliser ?

On peut ajouter à la béchamel :
- du chèvre sec râpé
- du parmesan râpé
- des pâtes persillées bleues : Roquefort,
  bleu d'Auvergne, gorgonzola.

À placer en fines lamelles
entre les feuilles de lasagnes :
- fontina
- mimolette
- mozzarella coupée en fines tranches
- ricotta de vache ou de brebis
  en fines tranches

À parsemer sur le plat
pour faire gratiner :
- parmesan râpé
- gruyère râpé

À poser sur le dessus du plat
après la sortie du four :
- copeaux de parmesan
- copeaux de Tête de moine (Suisse).

Lasagnes tomates mozzarella

Pour 6 personnes

8 feuilles de lasagnes précuites

1 kg de tomates à chair ferme

500 g de mozzarella

1 pot de 200 g de pesto

100 g d'olives noires et vertes

1 bouquet de basilic

3 c. à s. d'huile d'olive

sel, poivre

Préchauffez le four à 150 °C (thermostat 5).

Plongez les tomates 1 minute dans une casserole d'eau bouillante. Ôtez la peau et les pépins puis coupez-les en tranches. Égouttez la mozzarella puis coupez-la en tranches fines.

Huilez le fond du plat à four, disposez quelques rondelles de tomates, posez des feuilles de lasagnes, des rondelles de tomate salées et poivrées puis des lamelles de mozzarella. Étalez un peu de pesto, dispersez quelques olives vertes et noires et quelques feuilles de basilic, posez des feuilles de lasagnes huilées et continuez ainsi. Terminez par des lamelles de mozzarella, salez et poivrez.
Enfournez à 150 °C (thermostat 5) et laissez cuire 25 minutes.

Décorez le dessus du plat avec des feuilles de basilic juste avant de servir.

Lasagnes au pesto

Pour 6 personnes

8 feuilles de lasagnes
(blanches ou vertes)

1 morceau de
150 g de parmesan

100 g de parmesan râpé

100 g de pignons de pin

25 feuilles de basilic

4 gousses d'ail

15 cl d'huile d'olive

sel, poivre

Préchauffez le four à 150 °C (thermostat 5).

Épluchez l'ail et ôtez les germes. Lavez le basilic. Dans une poêle antiadhésive, faites griller rapidement les pignons de pin.

Pour préparer le pesto, mettez l'ail, le basilic, les pignons de pin grillés et le parmesan râpé dans le bol d'un mixeur. Faites tourner puis ajoutez lentement l'huile d'olive. Mélangez jusqu'à obtention d'une pâte épaisse. Salez, poivrez.

Faites cuire les feuilles de lasagnes 3 minutes dans une grande quantité d'eau salée. Rafraîchissez-les sous l'eau froide puis posez-les sur du papier absorbant.

Huilez légèrement le fond du plat à four, posez des feuilles de lasagnes, badigeonnez-les de pesto, posez d'autres feuilles et ainsi de suite. Terminez par du pesto. Enfournez et laissez cuire 25 minutes.

À la sortie du four, posez sur le dessus du plat des copeaux de parmesan obtenus à l'aide d'un couteau économe.

Lasagnes fromagères

Pour 6 personnes

8 feuilles de lasagnes
à cuire

250 g de mascarpone

200 g de gorgonzola

100 g de parmesan râpé

50 g de poudre de noix (ou
de cerneaux de noix mixés)

20 cl de crème (facultatif)

3 tours de moulin à poivre

Préchauffez le four à 150 °C (thermostat 5).

Ôtez la croûte du gorgonzola puis coupez le fromage en morceaux. Dans une casserole, déposez le mascarpone, le gorgonzola et le parmesan râpé (réservez-en 2 cuillerées à soupe). Faites chauffer doucement en tournant avec une cuillère en bois pour faire fondre et mélanger les fromages. S'il reste quelques morceaux bleus de gorgonzola, tant mieux. Versez la poudre de noix, mélangez. Si le mélange est trop sec, ajoutez de la crème. Poivrez.

Faites cuire les feuilles de lasagnes, passez-les sous l'eau froide puis épongez-les sur du papier absorbant.

Huilez légèrement le fond du plat à four. Posez des feuilles de lasagnes et versez de la sauce au fromage. Remplissez le plat puis saupoudrez le dessus de parmesan râpé. Enfournez et laissez cuire 20 minutes.

Lasagnes de courgettes et chèvre frais

Pour 6 personnes

6 à 8 feuilles de lasagnes précuites

3 courgettes

3 fromages de chèvre frais

2 œufs

50 cl de crème fleurette

5 cl de lait (facultatif)

1 c. à c. de cumin en poudre

sel, poivre

Préchauffez le four à 150 °C (thermostat 5).

Lavez les courgettes, coupez-les en rondelles et laissez-les cuire 5 minutes dans de l'eau bouillante salée. Égouttez immédiatement. Écrasez à la fourchette deux des fromages de chèvre.

Dans un bol, battez ensemble les œufs et la crème. Ajoutez à ce mélange le fromage écrasé et le cumin. Salez et poivrez. Mélangez intimement jusqu'à obtention d'une préparation liquide. Si nécessaire, ajoutez un peu de lait pour la fluidifier.

Huilez le fond du plat à four. Versez un peu de préparation puis posez 2 feuilles de lasagnes, disposez des rondelles de courgettes, puis de la préparation au fromage, puis des feuilles de lasagnes et ainsi de suite.

Coupez le fromage de chèvre restant en rondelles puis disposez-les sur le dessus des lasagnes : elles grilleront durant la cuisson. Enfournez et laissez cuire 20 minutes.

Lasagnes tomatobœuf

Pour 6 personnes

8 feuilles de lasagnes précuites

6 steaks hachés

1 boîte de 1 kg de pulpe de tomate

200 g de tomates séchées à l'huile

100 g d'olives noires aux épices

1 bouquet de basilic

1 c. à c. d'origan séché

sel, poivre

Préchauffez le four à 120 °C (thermostat 4).

Posez les steaks hachés sur une planche et aplatissez-les jusqu'à ce qu'ils deviennent très minces. Lavez les feuilles de basilic et dénoyautez les olives noires. Coupez les tomates séchées en lamelles.

Versez le contenu de la boîte de pulpe de tomate dans un grand saladier et vérifiez qu'il n'y ait pas de gros morceaux. Si nécessaire, recoupez-les. Salez, poivrez et parsemez d'origan.

Huilez légèrement le fond du plat à four. Versez un peu de pulpe de tomate et parsemez de feuilles de basilic ciselées. Posez des feuilles de lasagnes, 2 steaks hachés, des lamelles de tomates séchées, des olives noires, de la pulpe de tomates puis à nouveau des feuilles de lasagnes et ainsi de suite. Terminez par une couche de pulpe de tomate, assaisonnez bien puis parsemez d'origan.
Enfournez à 180 °C (thermostat 6) et laissez cuire 30 minutes.

Lasagnes aux boulettes de bœuf

Pour 6 personnes

8 feuilles de lasagnes précuites

300 g de bœuf haché

300 g de jambon blanc

1 œuf

1 oignon

2 gousses d'ail

1/2 bouquet de persil plat

5 branches de sauge

1 c. à s. d'origan

1 boîte de 1 kg de tomates concassées

75 g de beurre doux

50 cl de lait

1 grosse c. à s. de farine

4 c. à s. de parmesan râpé

1 pincée de muscade en poudre

10 cl d'huile d'olive

sel, poivre

Mixez le jambon. Lavez le persil puis ciselez-le. Épluchez l'ail et l'oignon puis émincez-les.

Dans un grand saladier, malaxez le bœuf haché, le jambon, du sel, du poivre, le persil, l'ail, l'oignon, l'origan et l'œuf entier jusqu'à obtention d'une masse homogène. Laissez reposer 10 minutes.

Préchauffez le four à 120 °C (thermostat 4).

Pour préparer la béchamel, faites fondre le beurre dans une casserole à fond épais. Hors du feu, ajoutez la farine puis tournez vigoureusement pour que la farine absorbe bien tout le beurre fondu. Versez le lait doucement, sans cesser de tourner, puis faites cuire à feu doux 10 minutes environ jusqu'à épaississement de la sauce. Salez, poivrez, saupoudrez de muscade et de parmesan râpé. Mélangez la béchamel et les tomates concassées puis ajoutez les feuilles de sauge. La sauce doit être assez liquide.

Façonnez des boulettes en roulant de la viande hachée dans la paume de la main. Farinez-les légèrement. Faites chauffer l'huile d'olive dans une grande poêle. Faites frire les boulettes jusqu'à ce qu'elles soient bien dorées. Veillez à ce qu'elles ne se touchent pas. Au fur et à mesure, déposez-les sur du papier absorbant.

Huilez légèrement le plat à four, versez un peu de sauce dans le fond, posez des feuilles de lasagnes, versez de la sauce, disposez des boulettes, posez d'autres feuilles de lasagnes, puis de la sauce et ainsi de suite jusqu'à ce que le plat soit rempli. Enfournez à 180 °C (thermostat 6) et laissez cuire 40 minutes.

Lasagnes à la viande

Pour 6 personnes

8 feuilles de lasagnes
à cuire

400 g de chair à saucisse

300 g de bœuf haché

1 oignon

2 gousses d'ail

1 bouquet de ciboulette

1/2 bouquet de coriandre
fraîche

50 cl de lait

1 grosse c. à s. de farine

75 g de beurre doux

1 boîte de coulis de tomate

30 g de parmesan râpé

5 cl d'huile d'olive

un peu de gruyère râpé

quatre-épices

sel, poivre

Faites cuire les feuilles de lasagnes dans une grande quantité d'eau bouillante salée additionnée de 2 cuillerées à soupe d'huile d'olive. Après cuisson, rincez-les sous l'eau froide et posez-les une par une sur des feuilles de papier absorbant.

Épluchez l'ail et l'oignon puis émincez-les.

Préchauffez le four à 120 °C (thermostat 4).

Dans une poêle antiadhésive, faites blondir l'ail et l'oignon, ajoutez la chair à saucisse puis le bœuf haché, la ciboulette et la coriandre ciselées. Faites dorer. Mixez finement cette préparation.

Pour préparer la béchamel, faites fondre le beurre dans une casserole à fond épais. Hors du feu, ajoutez la farine, tournez aussitôt vigoureusement. Versez le lait petit à petit sans cesser de remuer puis remettez sur le feu. Laissez épaissir la sauce 10 minutes environ. Salez, poivrez et saupoudrez de quatre-épices. Ajoutez le coulis de tomate et le parmesan râpé à la béchamel. Mélangez.

Huilez le plat à four. Posez des feuilles de lasagnes puis de la béchamel à la tomate, de la viande, un peu de béchamel, à nouveau des feuilles de lasagnes et ainsi de suite.

Parsemez le dessus des lasagnes d'un peu de gruyère râpé. Enfournez à 150 °C (thermostat 5) et laissez cuire 45 minutes.

Lasagnes façon strogonoff

Pour 6 personnes

8 feuilles de lasagnes précuites

600 g de bœuf très tendre (filet ou rumsteck) coupé en très fines lanières

250 g de champignons de Paris

250 g de crème fraîche

1 gros oignon

2 c. à s. de concentré de tomates

50 g de beurre

2 c. à s. d'huile d'olive

sel, poivre

Préchauffez le four à 120 °C (thermostat 4).

Épluchez l'oignon et les champignons. Lavez-les puis émincez-les. Faites chauffer l'huile d'olive, faites blondir l'oignon puis ajoutez les champignons et le concentré de tomates. Laissez mijoter 10 minutes.

Pour préparer la viande façon strogonoff, faites fondre le beurre dans une grande poêle puis saisissez rapidement les lanières de bœuf à feu vif. Ajoutez la viande aux champignons. Versez la crème fraîche, salez et poivrez. Laissez cuire la sauce 5 minutes.

Huilez légèrement le fond du plat à four, versez un peu de sauce, posez des feuilles de lasagnes, disposez la préparation à base de viande, posez à nouveau des feuilles de lasagnes, puis de la viande et ainsi de suite. Enfournez à 150 °C (thermostat 5) et laissez cuire 25 minutes.

Lasagnes aux aubergines et à l'agneau

Pour 6 personnes

8 feuilles de lasagnes précuites

400 g de gigot cuit

2 grosses aubergines

50 cl de béchamel liquide (en brique dans le commerce)

1/2 boîte de 400 g de pulpe de tomate

2 oignons

2 gousses d'ail

1/2 botte de coriandre

2 c. à s. d'huile d'olive

1 c. à c. de cumin moulu

sel, poivre

Lavez les aubergines puis coupez-les en deux dans le sens de la longueur. Badigeonnez-les d'huile d'olive et placez-les au four à 150 °C (thermostat 5) pour 15 minutes.

Épluchez l'ail et les oignons. Dans le bol du mixeur, mettez des morceaux d'agneau cuit, l'ail, l'oignon et le cumin. Mixez finement.

Après cuisson, grattez la pulpe des aubergines puis écrasez-la à la fourchette. Dans une casserole, mélangez la chair des aubergines, la pulpe des tomates et 1 cuillerée à soupe d'huile d'olive. Ajoutez les feuilles de coriandre. Faites réduire la purée. Vérifiez l'assaisonnement.

Huilez légèrement le fond du plat à four, versez un peu de béchamel, posez des feuilles de lasagnes, de la viande, de la béchamel, de la sauce tomate, à nouveau des feuilles de lasagnes puis de la garniture. Enfournez à 150 °C (thermostat 5) et laissez cuire 35 minutes.

Lasagnes au chorizo

Pour 6 personnes

8 feuilles de lasagnes
à cuire

250 g de chorizo ibérique
de Bellota

4 grosses tomates

4 poivrons verts

2 gros oignons

2 gousses d'ail

10 cl de vin blanc sec
(espagnol de préférence)

5 c. à s. d'huile d'olive

1 pointe de safran

sel, poivre

Plongez les tomates 1 minute dans l'eau bouillante, passez-les sous l'eau froide, ôtez la peau et les pépins puis coupez-les en fines rondelles. Lavez les poivrons, ôtez les pépins et les peaux blanches, coupez-les en fines lamelles. Épluchez les oignons et coupez-les en très fines tranches. Épluchez l'ail et écrasez-le avec le plat du couteau.

Préchauffez le four à 120 °C (thermostat 4).

Faites cuire les feuilles de lasagnes dans une grande quantité d'eau salée additionnée de 1 cuillerée à soupe d'huile d'olive. Après cuisson, passez-les sous un filet d'eau froide puis posez-les une à une sur des feuilles de papier absorbant.

Faites chauffer l'huile d'olive dans une grande poêle, versez les légumes en lamelles, faites cuire 5 minutes à feu vif en tournant avec une cuillère en bois puis mouillez avec le vin blanc. Salez, poivrez, parsemez de safran, mélangez puis éteignez le feu.

Ôtez la peau du chorizo et coupez-le en très fines rondelles.

Huilez légèrement le fond du plat à four, versez un peu de préparation aux légumes, posez des feuilles de lasagnes, à nouveau des légumes, de fines rondelles de chorizo, des feuilles de lasagnes, des légumes, du chorizo et ainsi de suite. Terminez par des rondelles de chorizo. Enfournez à 180 °C (thermostat 6) et laissez cuire 25 minutes.

Lasagnes farcies aux herbes

Pour 6 personnes

8 feuilles de lasagnes précuites

300 g de reste de rôti de porc ou de jambon

1 kg de feuilles de bettes

1 boîte de 1 kg de pulpe de tomate (ou de tomates concassées)

1 oignon

2 gousses d'ail

1 branche de céleri

1 botte de ciboulette

1 botte de cerfeuil

1/2 botte de coriandre

15 cl de vin blanc sec

50 g de parmesan râpé

2 c. à s. d'huile d'olive

sel, poivre

Mixez la viande. Épluchez l'ail et l'oignon puis émincez-les. Lavez les herbes puis épongez-les. Épluchez les bettes et ne gardez que les feuilles vertes. Les côtes blanches pourront servir pour réaliser un gratin. Lavez les feuilles de bettes, faites-les blanchir dans de l'eau bouillante salée puis égouttez-les en les pressant pour faire sortir toute l'eau de cuisson.

Préchauffez le four à 120 °C (thermostat 4).

Faites chauffer 1 cuillerée à soupe d'huile d'olive dans une grande poêle avec l'ail et l'oignon. Laissez dorer puis ajoutez le hachis de viande. Salez, poivrez et versez le vin blanc. Laissez cuire 15 minutes à découvert. Ajoutez les feuilles de bettes grossièrement coupées et les herbes ciselées. Mélangez bien.

Versez le contenu de la boîte de pulpe de tomate dans une casserole puis ajoutez 1 cuillerée à soupe d'huile d'olive et la branche de céleri coupée en fins tronçons. Salez et poivrez. Faites cuire à petits bouillons 5 minutes pour faire évaporer une partie du jus.

Huilez légèrement le fond du plat à four. Posez des feuilles de lasagnes, versez un peu de pulpe de tomate, du hachis de viande et d'herbes, parsemez de parmesan râpé, posez à nouveau des feuilles de lasagnes et continuez à garnir ainsi. Terminez en saupoudrant le plat de parmesan. Enfournez à 150 °C (thermostat 5) et laissez cuire 25 minutes.

Lasagnes mexicaines

Pour 6 personnes

8 feuilles de lasagnes précuites

2 blancs de poulet

2 oignons jaunes

1 gros oignon rouge

3 gousses d'ail

1 piment rouge

1 piment vert

1 boîte de 240 g de maïs

1 boîte de 1 kg de pulpe de tomate

1 mozzarella

2 c. à s. d'huile d'olive

sel, poivre

Ouvrez les piments puis ôtez les pépins et les peaux blanches. Ébouillantez-les 5 minutes, égouttez-les et épongez-les. Épluchez l'ail et les oignons. Égouttez le maïs.

Pour préparer la sauce tomate, versez le contenu de la boîte de pulpe de tomate dans le bol d'un mixeur. Ajoutez l'ail et les oignons jaunes. Mixez finement. Salez, poivrez.

Préchauffez le four à 120 °C (thermostat 4).

Faites chauffer l'huile d'olive dans une poêle puis faites-y revenir les blancs de poulet 10 minutes avec les piments coupés en petits morceaux. Après cuisson, émincez la viande.

Huilez le fond du plat à four et versez un peu de sauce tomate. Posez des feuilles de lasagnes, des morceaux de poulet avec ou sans piments, de la sauce tomate, quelques grains de maïs, des rondelles très fines d'oignon rouge puis des feuilles de lasagnes et de la garniture. Continuez ainsi jusqu'à ce que le plat soit rempli. Terminez par un peu de sauce tomate, des rondelles fines d'oignon rouge et des tranches de mozzarella. Salez et poivrez. Enfournez à 180 °C (thermostat 6) et laissez cuire 40 minutes.

Lasagnes au saumon frais

Pour 6 personnes

8 feuilles de lasagnes précuites

600 g de filets de saumon frais

500 g de moules

1 oignon

1 carotte

1 bulbe de fenouil

1 citron

25 cl de vin blanc

2 jaunes d'œufs

1 bouquet garni

1 bouquet d'aneth

1 bouquet de persil plat

gros sel, poivre

Épluchez l'oignon, la carotte et le fenouil puis coupez-les en fines rondelles ainsi que le citron.

Pour préparer le court-bouillon, portez à ébullition 2 litres d'eau puis ajoutez les légumes, le citron, le bouquet garni, le gros sel et 3 tours de moulin à poivre. Laissez cuire à petits bouillons 7 à 8 minutes.

Lavez le filet de saumon, épongez-le et plongez-le dans le court-bouillon. Laissez cuire 10 minutes à feu doux. Après cuisson, égouttez-le.

Préchauffez le four à 120 °C (thermostat 4).

Épluchez les moules, lavez-les, placez-les dans une grande casserole, versez le vin blanc et donnez 2 tours de moulin à poivre. Dès que les moules s'ouvrent, arrêtez la cuisson. Décortiquez-les. Filtrez le jus de cuisson.

Dans un bol, battez les jaunes d'œufs avec un peu de jus de cuisson des moules puis complétez jusqu'à 50 cl. Ajoutez les moules. Ajoutez les herbes lavées et ciselées dans la sauce.

Huilez le fond du plat à four. Posez des feuilles de lasagnes, disposez des morceaux de filet de saumon, versez de la sauce, disposez une autre couche puis continuez jusqu'à ce que le plat soit rempli. Enfournez à 150 °C (thermostat 5) et laissez cuire 30 minutes.

Lasagnes cabillaud et pois gourmands

Pour 6 personnes

8 feuilles de lasagnes
à cuire

600 g de filets de cabillaud
frais (ou surgelé)

600 g de pois gourmands

3 oranges

2 oignons rouges

100 g d'olives noires

1 cube de court-bouillon
de poisson

20 cl de sauce à l'huître

10 cl de sauce de soja

4 c. à s. d'huile d'olive

sel, poivre

Préparez un court-bouillon avec le cube, faites-y pocher le cabillaud, arrêtez la cuisson à la reprise de l'ébullition puis laissez reposer le temps de la préparation des légumes.

Effilez les pois gourmands. Retirez le zeste de 2 oranges et pressez-les. Épluchez l'orange restante pour récupérer des quartiers sans peau blanche. Épluchez les oignons rouges et coupez-les en fines rondelles.

Préchauffez le four à 120 °C (thermostat 4).

Dans une grande poêle, faites chauffer l'huile d'olive, mettez-y les pois gourmands, les oignons rouges, les zestes d'orange et les olives noires puis ajoutez la sauce de soja. Enrobez tous les ingrédients de sauce puis laissez cuire 5 minutes. Ajoutez la sauce à l'huître. Vérifiez l'assaisonnement.

Portez à ébullition une grande quantité de liquide, moitié eau, moitié jus d'orange, faites-y cuire les feuilles de pâte 2 à 3 minutes puis rafraîchissez-les sous l'eau froide. Épongez-les sur du papier absorbant. Égouttez le cabillaud, épluchez-le et effeuillez-le.

Huilez légèrement le fond du plat à four, posez des feuilles de lasagnes puis disposez 2 cuillerées de légumes préparés, des quartiers d'orange, du cabillaud, des feuilles de lasagnes, des légumes et ainsi de suite. Enfournez à 150 °C (thermostat 5) et laissez cuire 25 minutes.

Lasagnes aux sardines et poivrons grillés

Pour 6 personnes

8 feuilles de lasagnes précuites

14 filets de sardines

3 poivrons rouges

1 poivron vert

1 cube de court-bouillon de poisson

1/2 bouquet de coriandre

150 g de beurre

sel aux herbes, poivre

Lavez les poivrons. Mettez à cuire 2 poivrons rouges et le poivron vert dans la lèchefrite du four à 180 °C (thermostat 6) jusqu'à ce qu'ils soient noirs et cloqués sur tous les côtés. Enfermez les poivrons dans un sac plastique, laissez-les reposer 15 minutes puis ôtez la peau et les pépins. Coupez leur chair en lanières.

Délayez le cube de court-bouillon de poisson dans 20 cl d'eau frémissante puis ajoutez 1 poivron rouge cru, épépiné et coupé en dés. Laissez cuire 7 à 8 minutes. Mixez et passez au tamis.

Versez le jus dans une casserole puis ajoutez le beurre en petits morceaux tout en fouettant. Vérifiez l'assaisonnement.

Huilez légèrement le fond du plat à four. Versez un peu de sauce au poivron. Posez des feuilles de lasagnes, des filets de sardines, des feuilles de coriandre, assaisonnez au sel aux herbes, ajoutez des lamelles de poivron grillé, de la sauce à nouveau puis des feuilles de lasagnes et ainsi de suite jusqu'à épuisement des ingrédients. Versez le reste de la sauce pour napper le plat. Enfournez à 150 °C (thermostat 5) et laissez cuire 30 minutes.

Lasagnes au saumon fumé

Pour 6 personnes

6 feuilles de lasagnes
à cuire

3 grandes tranches
de saumon fumé

300 g de fromage frais
(cottage cheese)

20 cl de crème fraîche

1 c. à s. de moutarde
à l'ancienne

1 pépino (petit concombre)
ou 2 selon la taille

1 botte de fines herbes

1/2 botte de cerfeuil

sel, poivre

Battez ensemble le fromage frais, la crème fraîche et la moutarde. Rectifiez l'assaisonnement puis ajoutez les fines herbes ciselées finement.

Lavez le pépino et coupez-le en très fines lamelles.

Faites cuire les feuilles de lasagnes le temps indiqué sur l'emballage, égouttez-les, posez-les sur des feuilles de papier absorbant puis coupez-les en deux.

Dans chaque assiette, posez une demi-feuille de lasagnes, une demi-tranche de saumon fumé, tartinez de la préparation aux fines herbes, posez des lamelles de pépino, à nouveau un peu de préparation au fromage puis recouvrez d'une demi-feuille de lasagnes. Décorez le dessus des lasagnes tièdes de quelques pluches de cerfeuil.

Lasagnes au curry de crabe

Pour 6 personnes

8 feuilles de lasagnes
précuites

500 g de chair de crabe
cuit ou de surimi,
éventuellement mélangée
à parts égales avec
du poisson blanc cuit

50 cl de béchamel
(en brique
dans le commerce)

2 échalotes

1 pomme granny smith

le zeste et le jus
de 1 citron vert

50 g de beurre

1 c. à c. de curcuma

1 c. à s. de curry de Madras

1 c. à c. de graines de
coriandre concassées

sel

Préchauffez le four à 120 °C (thermostat 4).

Effeuillez la chair de crabe, le surimi ou le poisson. Épluchez les échalotes et émincez-les. Ouvrez la pomme en deux, sans l'éplucher, ôtez les pépins puis coupez-la en fines lamelles.

Pour préparer la sauce, faites fondre le beurre dans une grande poêle puis faites revenir les échalotes et les lamelles de pomme jusqu'à ce qu'elles soient translucides. Ajoutez le curry, le curcuma, les graines concassées de coriandre, le jus et le zeste de citron vert et la chair de crabe. Mouillez avec la béchamel. Veillez à ce que la sauce soit bien liquide. Ajoutez un peu de lait si nécessaire. Vérifiez l'assaisonnement.

Huilez légèrement le plat à four, posez des feuilles de lasagnes, de la garniture, à nouveau des feuilles de lasagnes et ainsi de suite. Posez quelques petits morceaux de beurre sur le dessus. Enfournez à 180 °C (thermostat 6) et laissez cuire 30 minutes.

Lasagnes aux aubergines et crevettes piquantes

Pour 6 personnes

6 à 8 feuilles de lasagnes précuites

300 g de crevettes roses

3 aubergines

1 botte de cives

3 gousses d'ail

1 boîte de 400 g de pulpe de tomate

le jus de 2 citrons verts

le jus de 1 citron jaune

20 cl d'huile d'olive

1 botte de persil plat

1/4 de piment antillais

1 c. à c. de paprika

3 branches de coriandre fraîche (facultatif)

sel, poivre

Lavez les aubergines, coupez-les en deux dans le sens de la longueur puis placez-les au four à 150 °C (thermostat 5) pour 40 minutes.

Pendant ce temps, épluchez les cives et l'ail, coupez-les très finement puis disposez-les dans un petit saladier. Ajoutez le persil lavé et ciselé, le jus des 2 citrons verts, l'huile d'olive et le piment coupé finement. Salez et remuez bien. Versez 15 cl d'eau chaude dans le saladier.

Décortiquez les crevettes puis laissez-les mariner 30 minutes dans la sauce.

Après cuisson, grattez la pulpe des aubergines puis écrasez-la à la fourchette avec le paprika et le jus de 1 citron jaune. Mélangez la chair des aubergines à la pulpe de tomates. Salez, poivrez. Ce mélange doit être assez liquide.
Si nécessaire, ajoutez quelques cuillerées à soupe de marinade des crevettes.

Huilez le fond du plat à four, versez un peu de préparation aux aubergines, posez des feuilles de lasagnes, disposez quelques crevettes grossièrement coupées puis versez à nouveau de la purée d'aubergines. Recommencez ainsi les couches jusqu'à ce que le plat soit rempli.

Enfournez à 180 °C (thermostat 6) et laissez cuire 25 minutes.

À la sortie du four, vous pouvez décorer le plat de quelques feuilles de coriandre fraîche.

Lasagnes noir de noir

Pour 6 personnes

400 g de farine type 45

**1 kg de seiches
ou de calamars (vidés)**

**2 sachets d'encre de seiche
(4 g chacun)**

4 œufs

4 belles tomates

1 gousse d'ail

1/2 botte de coriandre

3 c. à s. d'huile d'olive

sel, poivre

Versez la farine sur le plan de travail, creusez un puits au centre, cassez-y les œufs et videz 1 sachet d'encre de seiche. Commencez à mélanger un peu de farine aux œufs. Travaillez avec des gants de ménage car l'encre de seiche teinte les doigts. Formez une boule de pâte et malaxez-la bien entre les mains. La couleur noire forme d'abord des marbrures. Travaillez la pâte jusqu'à ce que sa couleur devienne homogène. Laissez-la reposer au moins 30 minutes à température ambiante.

Lavez les calamars puis coupez-les en fines lanières. Ébouillantez les tomates, ôtez la peau et les pépins puis coupez-les grossièrement. Épluchez l'ail et émincez-le.

Préchauffez le four à 120 °C (thermostat 4).

Faites chauffer l'huile d'olive dans une grande poêle. Mettez-y les calamars, les tomates et l'ail puis versez le contenu du deuxième sachet d'encre de seiche. Faites cuire 10 minutes en tournant. Salez, poivrez, ajoutez les feuilles de coriandre ciselées puis mélangez bien la garniture.

Farinez le plan de travail, retravaillez la boule de pâte pour qu'elle devienne bien élastique puis étalez-la à l'aide d'un rouleau à pâtisserie ou d'une machine à laminer les pâtes. Aplatissez-la jusqu'à obtenir des feuilles très fines, translucides. Coupez-les à la taille du plat à four.

Faites cuire les feuilles de pâte 3 à 4 minutes dans de l'eau bouillante salée puis rafraîchissez-les sous un filet d'eau froide. Posez les feuilles sur du papier absorbant.

Huilez légèrement le fond du plat à four, posez des feuilles de lasagnes, de la garniture, à nouveau des feuilles de lasagnes et ainsi de suite, puis terminez par un peu de garniture. Enfournez à 180 °C (thermostat 6) et laissez cuire 25 minutes.

Lasagnes végétariennes

Pour 6 personnes

8 à 10 feuilles de lasagnes
vertes à cuire

1 kg d'épinards

300 g de ricotta

100 g de crème fraîche

1 boîte de 500 g
de pulpe de tomate

1 bouquet de basilic

50 g de pignons de pin

muscade

huile d'olive

sel, poivre

Préchauffez le four à 120 °C (thermostat 4).

Équeutez et lavez les épinards puis faites-les cuire 5 minutes dans une grande quantité d'eau bouillante salée. Égouttez-les dans une passoire. Appuyez sur les épinards avec une cuillère en bois pour bien faire sortir l'eau de cuisson.

Dans une jatte, mélangez la ricotta et la crème fraîche. Salez, poivrez et saupoudrez d'un peu de muscade râpée.

Lavez le basilic, ciselez-le et mélangez-le à la pulpe de tomate.

Faites cuire les feuilles de lasagnes 2 minutes dans une grande quantité d'eau salée additionnée de 2 cuillerées à soupe d'huile d'olive. Rafraîchissez-les sous l'eau froide. Posez chaque feuille sur du papier absorbant.

Huilez légèrement le plat à four. Versez un peu de sauce à la ricotta, posez des feuilles de lasagnes, étalez des épinards, quelques pignons de pin, de la pulpe de tomate, à nouveau des feuilles de lasagnes, des épinards, des pignons, de la sauce à la ricotta, de la pulpe de tomate et ainsi de suite. Terminez par de la sauce à la tomate et quelques pignons. Enfournez à 180 °C (thermostat 6) et laissez cuire 25 minutes.

Lasagnes tout-tomate

Pour 6 personnes

8 feuilles de lasagnes précuites

2 kg de tomates bien mûres

1 oignon

2 gousses d'ail

1 branche de céleri

150 g de tomates séchées à l'huile

50 g d'olives noires dénoyautées

50 g de parmesan râpé

1/2 botte de basilic

1 pincée de paprika

3 c. à s. d'huile d'olive

sel, poivre

Ébouillantez les tomates, rafraîchissez-les, ôtez la peau et les pépins. Coupez-les grossièrement. Épluchez l'ail et l'oignon, émincez-les. Lavez la branche de céleri puis coupez-la en petits tronçons.

Préchauffez le four à 120 °C (thermostat 4).

Pour préparer la sauce tomate, faites chauffer l'huile d'olive dans une grande poêle, faites-y blondir l'ail et l'oignon. Ajoutez la concassée de tomates, le céleri, les olives noires, les feuilles de basilic. Salez, poivrez, saupoudrez de paprika. Laissez cuire 15 minutes, en tournant de temps en temps. Mixez cette préparation.

Huilez légèrement le fond du plat à four. Versez un peu de sauce tomate, posez des feuilles de lasagnes, versez de la sauce, des tomates séchées et ainsi de suite. Terminez par de la sauce tomate. Parsemez le plat de parmesan râpé. Enfournez à 150 °C (thermostat 5) et laissez cuire 30 minutes.

Lasagnes aux légumes grillés

Pour 6 personnes

8 feuilles de lasagnes
à cuire

4 courgettes

3 aubergines

2 poivrons jaunes

2 poivrons rouges

2 poivrons verts

1 oignon rouge

1 gousse d'ail écrasée

1 bouquet de sauge

le jus de 1 citron

25 cl de Pulco citron

8 c. à s. d'huile d'olive

sel, poivre

Lavez les légumes. Posez les poivrons sur la lèchefrite du four et faites-les cuire à 180 °C (thermostat 6) jusqu'à ce que leur peau soit noire et cloquée. Retirez-les du four, enfermez-les 15 minutes dans un sac plastique puis épluchez-les. Ôtez la peau et les pépins puis coupez-les en lamelles.

Coupez les courgettes, les aubergines et l'oignon en fines lamelles dans le sens de la longueur. Huilez un gril et faites-les griller avec des feuilles de sauge.

Dans un saladier, mélangez 4 cuillerées à soupe d'huile d'olive, le jus de citron, l'ail écrasé, du sel et du poivre.
Au fur et à mesure que les légumes sont grillés, ajoutez-les dans le saladier, ainsi que les poivrons.

Faites cuire les feuilles de lasagnes comme indiqué sur le paquet, dans un mélange d'eau salée et de Pulco. Rincez-les sous l'eau froide.

Huilez le fond du plat à four, posez des feuilles de lasagnes, huilez-les à l'aide d'un pinceau, posez des légumes grillés, des feuilles de sauge, à nouveau des feuilles de lasagnes huilées et des légumes, et ainsi de suite jusqu'à ce que le plat soit rempli. Terminez par des légumes. Enfournez à 150 °C (thermostat 5) et laissez cuire 25 minutes.

Lasagnes aux légumes marinés

Pour 6 personnes

9 feuilles de lasagnes vertes (ou blanches)

500 g de navets nouveaux ou de petits oignons blancs nouveaux

1 botte de carottes nouvelles

10 cl de vinaigre de vin blanc (ou vinaigre de xérès)

2 échalotes

1 gousse d'ail

100 g de roquette

1 botte de cerfeuil

1 bouquet de basilic

2 c. à c. de sucre

20 cl d'huile d'olive

fleur de sel, poivre

Épluchez les carottes et les navets. Coupez les carottes en rondelles et les navets en deux dans le sens de l'épaisseur. Épluchez l'ail et les échalotes puis émincez-les. Lavez le cerfeuil, le basilic et la roquette puis épongez-les.

Préchauffez le four à 120 °C (thermostat 4).

Faites chauffer la moitié de l'huile d'olive dans une casserole puis faites-y dorer les navets nouveaux. Ajoutez la moitié du vinaigre, 1 cuillerée à café de sucre, du sel, du poivre et 25 cl d'eau. Faites cuire à petits bouillons 15 à 20 minutes jusqu'à ce que le jus de cuisson devienne sirupeux.

Faites blanchir les rondelles de carottes 5 minutes dans l'eau bouillante salée puis égouttez-les. Faites chauffer le reste de l'huile d'olive dans une autre casserole. Faites-y dorer les échalotes et l'ail puis ajoutez les carottes, 1 cuillerée à café de sucre, l'autre moitié du vinaigre, du sel et du poivre. Laissez cuire 3 minutes. Retirez du feu puis saupoudrez de basilic ciselé.

Faites cuire les feuilles de lasagnes 3 minutes dans de l'eau bouillante salée, égouttez-les et passez-les sous l'eau froide. Coupez chaque feuille en deux carrés.

Huilez la lèchefrite du four. Disposez 6 carrés de pâte. Sur chacun d'eux mettez des navets marinés, quelques feuilles de cerfeuil puis un autre carré de pâte, des carottes marinées et un dernier carré de pâte. Huilez la surface des carrés de lasagnes individuelles. Enfournez à 180 °C (thermostat 6) pour 8 minutes, juste le temps de réchauffer l'ensemble.

Sortez les lasagnes du four à l'aide d'une spatule puis posez chaque assemblage sur une assiette. Terminez par une chiffonnade de roquette mélangée à des feuilles de cerfeuil. Arrosez d'un filet d'huile d'olive et assaisonnez de fleur de sel.

Lasagnes aux fonds d'artichauts

Pour 6 personnes

8 à 10 feuilles de lasagnes
à cuire

12 fonds d'artichauts

6 plaquettes de fromage
à fondre (fontina, gouda...)

4 échalotes

2 gousses d'ail

le jus de 1 citron

2 c. à s. de gruyère râpé

5 cl d'huile d'olive

sel, poivre

Si vous utilisez les fonds d'artichauts surgelés, faites-les cuire comme indiqué sur l'emballage, dans de l'eau salée additionnée de jus de citron. S'ils sont en boîte, rincez-les puis arrosez-les de jus de citron. Émincez les fonds d'artichauts.

Préchauffez le four à 120 °C (thermostat 4).

Faites cuire les feuilles de lasagnes comme indiqué sur le paquet, dans une grande quantité d'eau salée additionnée de 2 cuillerées à soupe d'huile d'olive. Rincez-les sous l'eau froide puis posez-les une à une sur du papier absorbant.

Épluchez l'ail et les échalotes puis émincez-les. Faites chauffer un peu d'huile d'olive dans une poêle puis faites blondir l'ail et les échalotes. Ajoutez les fonds d'artichauts émincés. Laissez cuire 5 à 6 minutes. Salez et poivrez.

Huilez légèrement le plat à four. Posez des feuilles de lasagnes dans le fond, versez un peu de sauce d'artichauts, 2 plaques de fromage à fondre, à nouveau des feuilles de pâte puis de la garniture. Finissez en posant du fromage à fondre sur le dessus des lasagnes, saupoudrez de gruyère râpé et poivrez. Enfournez à 180 °C (thermostat 6) et laissez cuire 25 minutes.

Lasagnes aux cèpes

Pour 6 personnes

8 feuilles de lasagnes précuites

100 g de cèpes séchés

2 échalotes

200 g de crème fraîche

50 cl de lait

150 g de beurre doux

1 grosse c. à s. de farine

100 g de parmesan râpé

1 botte de persil plat

1 pointe de muscade râpée

2 c. à s. d'huile d'olive

sel, poivre

Faites tremper les cèpes dans l'eau tiède jusqu'à ce qu'ils deviennent souples. Essorez-les entre les paumes des mains.

Préchauffez le four à 120 °C (thermostat 4).

Faites chauffer l'huile dans une poêle et faites-y blondir les échalotes émincées. Ajoutez les cèpes puis le persil lavé et ciselé. Versez la crème fraîche, salez et poivrez. Laissez cuire 7 à 8 minutes.

Pour préparer la sauce béchamel, faites fondre 75 g de beurre dans une casserole à fond épais. Hors du feu, ajoutez la farine en tournant bien. Versez doucement le lait sans jamais cesser de tourner. Salez, poivrez et saupoudrez de muscade. Faites épaissir la sauce doucement sur le feu 10 minutes environ, en continuant de tourner.

Huilez légèrement le fond du plat à four, versez un peu de béchamel, posez des feuilles de lasagnes, de la béchamel, de la sauce aux cèpes, des petits morceaux de beurre, des feuilles de lasagnes, de la béchamel, et ainsi de suite jusqu'à épuisement des ingrédients. Terminez par un peu de béchamel puis saupoudrez de parmesan râpé et de quelques petits morceaux de beurre. Enfournez à 150 °C (thermostat 5) et laissez cuire 35 minutes.

Lasagnes au potiron et à la coriandre

Pour 6 personnes

8 feuilles de lasagnes

700 g de chair de potiron
ou de citrouille
(éventuellement surgelée)

30 cl de lait

1 oignon

50 g de beurre

4 jaunes d'œufs

1 bouquet de coriandre

1 pincée de cumin

2 c. à s. d'huile d'olive

sel, poivre

Préchauffez le four à 120 °C (thermostat 4).

Épluchez l'oignon puis émincez-le. Faites fondre le beurre dans une casserole et faites-y blondir l'oignon. Ajoutez les morceaux de potiron ou de citrouille et tournez avec une cuillère en bois pour bien les enrober de beurre. Mouillez avec le lait, salez et poivrez. Laissez cuire 15 minutes. S'il s'agit de potiron surgelé, ajustez le temps de cuisson en suivant les indications figurant sur l'emballage.

Faites cuire les feuilles de lasagnes comme indiqué sur le paquet, dans de l'eau bouillante salée additionnée de 2 cuillerées à soupe d'huile d'olive. Après cuisson, rincez-les sous l'eau froide puis mettez-les à égoutter sur du papier absorbant.

Écrasez les morceaux de potiron cuits à l'aide d'une fourchette pour obtenir une purée. Ajoutez les jaunes d'œufs et le cumin puis vérifiez l'assaisonnement.

Huilez le plat à four, mettez un peu de sauce dans le fond, puis des feuilles de lasagnes, de nouveau de la sauce, des feuilles de coriandre, à nouveau des feuilles de lasagnes et ainsi de suite jusqu'à épuisement de la garniture. Terminez par de la sauce. Enfournez à 180 °C (thermostat 6) et laissez cuire 25 minutes.

Lasagnes agneau et pruneaux

Pour 6 personnes

8 feuilles de lasagnes précuites

500 g de viande d'agneau (épaule ou gigot)

250 g de pruneaux

50 cl de bouillon de viande (cube)

1 oignon

1 poivron vert

1 c. à s. bombée de Maïzena

2 c. à s. d'huile d'olive

muscade en poudre

cumin en poudre

sel, poivre

Hachez grossièrement la viande d'agneau. Épluchez l'oignon puis émincez-le. Ouvrez le poivron en deux, ôtez les peaux blanches et les pépins puis coupez-le en petits dés.

Faites tremper les pruneaux dans le bouillon de viande chaud pendant 10 minutes.

Préchauffez le four à 120 °C (thermostat 4).

Pour préparer la sauce à la viande, faites chauffer l'huile d'olive dans une grande poêle. Faites blondir l'oignon puis ajoutez la viande d'agneau et le poivron. Lorsque la viande a doré, saupoudrez de Maïzena, ajoutez les pruneaux dénoyautés et mouillez avec le bouillon de viande. Mélangez bien. Saupoudrez de muscade et de cumin, salez et poivrez. Laissez cuire 10 minutes pour faire épaissir la sauce.

Huilez légèrement le fond du plat à four. Versez un peu de sauce à la viande, posez des feuilles de lasagnes, versez la sauce puis posez d'autres feuilles et de la garniture jusqu'à ce que le plat soit rempli. Terminez par de la garniture. Enfournez à 150 °C (thermostat 5) et laissez cuire 25 minutes.

Lasagnes au poulet, abricots et amandes

Pour 6 personnes

8 feuilles de lasagnes
précuites

4 blancs de poulet

250 g d'abricots secs

50 g d'amandes effilées

2 c. à s. de miel

50 cl de bouillon
de poule (cube)

1 oignon

50 g de beurre

1/2 c. à c. de cumin

1/2 c. à c. de cannelle
en poudre

sel, poivre

Épluchez l'oignon puis émincez-le. Coupez les abricots secs
en morceaux. Détaillez les blancs de poulet en fines lamelles.

Préchauffez le four à 120 °C (thermostat 4).

Faites fondre le beurre dans une poêle. Faites blondir l'oignon
et revenir les lamelles de poulet.

Préparez le bouillon de poule et ajoutez-y le miel. Mouillez
la cuisson de poulet avec le bouillon, ajoutez les abricots secs,
salez, poivrez puis saupoudrez d'amandes, de cumin
et de cannelle. Mélangez bien et laissez cuire 15 minutes.

Huilez légèrement le fond du plat à four. Versez un peu
de sauce au poulet, posez des feuilles de lasagnes, versez
de la sauce au poulet, à nouveau des feuilles de lasagnes,
jusqu'à ce que le plat soit rempli. Parsemez d'amandes.
Enfournez à 150 °C (thermostat 5) et laissez cuire 25 minutes.

Lasagnes au chocolat

Pour 6 personnes

300 g de farine type 45

6 œufs

100 g + 3 c. à s. de cacao
en poudre

2 c. à s. de sucre glace

50 cl de lait

2 c. à s. de sucre en poudre

3 tablettes de chocolat noir
(100 g chacune)

1 noix de beurre

Mélangez la farine, 100 g de cacao et le sucre glace. Versez sur le plan de travail, creusez un puits au centre et cassez-y 3 œufs. Mélangez délicatement. Si la pâte s'amalgame mal, parsemez de quelques gouttes d'eau. Travaillez la pâte jusqu'à obtenir une boule de couleur chocolat souple au toucher. Vous pouvez aussi utiliser un robot. Laissez reposer 1 heure à température ambiante.

Préchauffez le four à 120 °C (thermostat 4).

Faites chauffer le lait et délayez-y le cacao restant. Battez les 3 œufs restants avec le sucre en poudre. Versez doucement le lait sur les œufs battus, en fouettant.

Farinez légèrement le plan de travail puis aplatissez finement la boule de pâte au chocolat. Vous pouvez aussi utiliser un appareil à laminer les pâtes. Découpez des rectangles de pâte de la taille du plat à four. Faites cuire les feuilles de lasagnes 2 minutes dans l'eau bouillante, rafraîchissez-les puis épongez-les.

Beurrez légèrement le fond du plat à four, posez une feuille de lasagnes, une tablette de chocolat grossièrement cassée, une autre feuille de lasagnes, une autre tablette, encore une feuille et une dernière tablette. Versez la préparation au lait chocolaté. Enfournez à mi-hauteur du four et laissez cuire 40 minutes.

À la sortie du four, posez quelques carrés de chocolat sur les lasagnes. Ils vont fondre doucement. Laissez tiédir avant de servir.

Shopping

JEANNINE CROS
linge ancien, pages 17, 25, 31.

MUJI
torchon, page 33 ;
fourchette, page 41.

RENUE-MÉNAGE
plats, pages 7, 31, 35, 47 ;
spatule, page 23.

RÉSONANCES
verres Duralex, page 9.

LA SAMARITAINE
plats à gratin Riess, pages 13, 53, 61 ;
plats Le Creuset, pages 25, 27 ;
assiette Guy Degrenne, page 19 ;
plat Staub, page 23 ;
plat Revol, pages 29, 49 ;
fourchette, page 17.

HABITAT
assiette, page 17 ;
plat, page 21.

THE CONRAN SHOP
tablier, page 27.

IKEA
assiette, pages 51, 59 ;
soucoupe, page 55.

MONOPRIX
ramequin rectangulaire, pages 41, 63 ;
plat Pyrex, pages 43, 57 ;
assiette, page, 11 ;
set de table, page 9.

Carnet d'adresses

JEANNINE CROS
11, rue d'Assas, 75006 Paris
tél. 01 45 48 00 67

MUJI
27, rue Saint-Sulpice, 75006 Paris
tél. 01 46 34 01 10
www.muji.fr

RENUE-MÉNAGE
50, rue des Abbesses, 75018 Paris
tél. 01 46 06 23 79

RÉSONANCES
9, cour Saint-Émilion, 75012 Paris
tél. 01 44 73 82 82
www.resonances.fr

LA SAMARITAINE
19, rue Monnaie, 75001 Paris
tél. 01 40 41 20 20
www.lasamaritaine.com

HABITAT
35, avenue de Wagram, 75017 Paris
01 55 37 75 00

THE CONRAN SHOP
117, rue du Bac, 75007 Paris
tél. 01 42 84 10 01

IKEA
tél. 01 39 10 20 20
www.ikea.fr

MONOPRIX
www.monoprix.fr

© Marabout 2004

ISBN : 2501-04353-7

40.93076 / 02

Dépôt légal : n° 54111 / Décembre 2004

Imprimé en France par Pollina - n° L95383